folio cadet ■

Le Petit Nicolas
d'après l'œuvre de René Goscinny
et Jean-Jacques Sempé

Une série animée adaptée pour la télévision
par Matthieu Delaporte, Alexandre de la
Patellière et Cédric Pilot / Création graphique
de Pascal Valdès / Réalisée par Arnaud Bouron
D'après l'épisode « Bonbon », écrit par Delphine
Dubos.
Le Petit Nicolas, les personnages,
les aventures et les éléments caractéristiques
de l'univers du Petit Nicolas sont une création
de René Goscinny et Jean-Jacques Sempé.
Droits de dépôt et d'exploitation de marques
liées à l'univers du Petit Nicolas réservés
à **IMAV EDITIONS**. Le Petit Nicolas® est une
marque verbale et figurative enregistrée.

Adaptation : Emmanuelle Lepetit
Maquette : Clément Chassagnard
Le papier de cet ouvrage est composé
de fibres naturelles, renouvelables, recyclables
et fabriquées à partir de bois provenant
de forêts plantées et cultivées expressément
pour la fabrication de la pâte à papier.
Loi n° 49-956 du 16 juillet 1949 sur les
publications destinées à la jeunesse
ISBN : 978-2-07-065047-7
N° d'édition : 261761
Premier dépôt légal : avril 2013
Dépôt légal : octobre 2013
Imprimé en France par I.M.E.

Le Petit Nicolas

Un chaton trop mignon

GALLIMARD JEUNESSE

Le Petit Nicolas

Maman Papa

et ses copains

Nicolas   Alceste   Clotaire   Eudes

La maîtresse Le Bouillon

Louisette Marie-Edwige Geoffroy Agnan

Nicolas fait des courses pour sa maman chez M. Compani. Il entend une conversation entre l'épicier et une cliente :

– Au fait, je cherche une famille pour ce chaton. Ça vous intéresse ?

– Oh, non ! fait la dame en reculant. J'ai déjà un canari, c'est bien suffisant !

Nicolas, lui, trouve le chaton vraiment mignon.

– MOI, JE LE PRENDS !

L'épicier lui tend le chaton. La petite boule de poils se blottit dans les bras de Nicolas en ronronnant.

– Qu'est-ce qu'il est doux ! Je vais l'appeler... euh... (Son regard se pose sur le bocal de bonbons posé sur le comptoir.) Bonbon !

– Très bien ! dit M. Compani. Mais tu es sûr que tes parents accepteront d'avoir un chat à la maison ?

– Certain ! affirme Nicolas. J'ai hâte de voir la tête de Maman quand elle le découvrira...

Un peu plus tard, quand la maman de Nicolas aperçoit le chaton en train de faire ses griffes sur le canapé du salon, elle en fait, une drôle de tête !

– Pas question de le garder! se fâche-t-elle. Je t'ai déjà dit mille fois que je ne voulais pas d'animaux à la maison!

– C'est pas juste! proteste Nicolas. Je suis sûr que les parents de mes copains diraient oui, eux.

– Dans ce cas, tu n'as qu'à aller leur donner!

Nicolas explique la situation à Louisette.

– Bien sûr que je vais m'en occuper ! se réjouit-elle. Il faut juste que je demande à ma mère si elle est d'accord.

Quelques secondes plus tard, Nicolas entend la maman de Louisette crier :

– C'est HORS DE QUESTION !

Dépité, il se rend chez Alceste.

– Je ne sais pas trop... hésite le garçon.

Au même moment, Bonbon saute sur une chaise et attrape la tartine de confiture d'Alceste. Il se régale !

– Hé ! ma tartine ! râle Alceste. Il n'est pas gêné, ton chat !

Nicolas file alors chez Eudes.

– IL EST TERRIBLE ! Pas très musclé, mais chouette quand même. Je le prends !

– Et tes parents, ils ne vont rien dire ? demande Nicolas.

– Mes parents, ils font ce que je veux ! lâche Eudes, en gonflant le torse.

Le soir venu, Nicolas est à table quand quelqu'un sonne à la porte. Son papa va ouvrir. Sur le perron se tient Clotaire ; il a le chaton dans les bras.

– C'est Eudes qui me l'a donné, explique-t-il. Mais j'ai été puni, alors je n'ai pas le droit de le garder.

Le père de Nicolas revient dans la cuisine avec Bonbon.

– Regardez ce que Clotaire nous propose d'adopter ! C'est une bonne idée, non ? dit-il, en câlinant le chat.

En voyant le regard noir de sa femme, le papa de Nicolas change d'avis :

– En fait, non, je me trompe : c'est une mauvaise idée !

Le lendemain, Nicolas fait triste mine. Il reprend le chemin de l'épicerie de M. Compani pour lui rendre le chaton. Ses copains l'accompagnent.

– M. Compani ne pourra pas le garder dans sa boutique. Il va le mettre à la fourrière, c'est sûr, prédit Rufus.

– Pauvre Bonbon ! se désole Louisette. Il faut trouver une autre solution !

– Je le prendrais bien chez moi... soupire Geoffroy. Seulement, mes parents n'acceptent que les animaux de race, et celui-ci est un simple chat de gouttière !

–ATTENDEZ ! s'écrie soudain Louisette. J'ai une idée ! Et si on l'installait dans la cabane du terrain vague ?

Aussitôt dit, aussitôt fait : le chaton se retrouve bientôt dans la cabane, installé dans un panier moelleux, avec une gamelle de lait et même un pot de confiture apporté par Alceste ! Il ne tarde pas à s'endormir.

– Pendant qu'il fait la sieste, chuchote Eudes, ça vous dirait de jouer au foot ?

Les garçons ont à peine le dos tourné qu'un chien du quartier, flairant la présence du chaton, vient fureter autour de la cabane.

– OUAF ! OUAF ! se met-il à aboyer.

– Hé ! Va-t'en ! le chasse Rufus.

Quand les amis retournent dans la cabane, plus de trace du chaton !

– À tous les coups, il a dû avoir peur et se sauver, dit Nicolas. Il ne doit pas être bien loin, cherchons-le !

Mais, une heure plus tard, les enfants n'ont toujours pas retrouvé Bonbon...

Réunis sur le trottoir, Nicolas et ses copains sont bien embêtés. Tout à coup, Mme Chouquette, la boulangère, apparaît sur le pas de sa porte, un balai à la main :

– Allez, déguerpis ! dit-elle en chassant de sa boutique une boule de poils grise.

– C'EST BONBON ! crie Nicolas.

– Il était caché dans la boulangerie !
comprend Alceste. J'aurais fait pareil !

– Bonbon ? Viens, Bonbon ! appellent
les enfants.

Le chaton n'en fait qu'à sa tête : le voilà
déjà reparti ! Il file dans la rue, saute sur
une poubelle, escalade un tronc d'arbre
et, hop ! saute par-dessus le mur de l'école.

La bande se précipite vers la grille, mais elle est fermée : il n'y a pas école aujourd'hui !

Clotaire, perplexe, se gratte la tête :

– C'est une drôle d'idée d'aller à l'école sans y être obligé... Il doit être fou comme Agnan, ce chat !

– On n'a plus qu'à attendre demain matin, dit Rufus.

– Pauvre Bonbon ! soupire Nicolas. Il va passer la nuit tout seul...

Le lendemain matin, les garçons arrivent à l'école en avance. Dès que la grille s'ouvre, ils se précipitent dans la cour, bousculant le Bouillon.

– Eh bien, ils sont motivés ce matin ! s'étonne le surveillant.

Les enfants foncent vers le préau.
– Pourvu qu'il soit encore là ! dit Alceste.
Ouf ! Bonbon est bien là, caché sous un banc. Les garçons forment un cercle autour de lui. Nicolas le prend dans ses bras et lui fait un câlin.

C'est alors que la petite voix aiguë du chouchou de la classe se fait entendre :
– QUOI ! Un chat, ici ? Vous n'avez pas le droit, c'est interdit par le règlement !

Les copains se retournent et fixent Agnan d'un œil noir.

– T'as pas intérêt à cafarder, sinon t'auras mon poing sur le nez ! gronde Eudes.

– T'as pas le droit de me taper, j'ai des lunettes ! réplique Agnan.

– TAIS-TOI, ANDOUILLE ! ordonne Nicolas, avant de fourrer le chaton entre les mains d'Agnan et d'ajouter : C'est notre chat à tous... et à toi aussi, si tu ne nous dénonces pas.

Le cœur d'Agnan fond comme un glaçon :

– C'est vrai qu'il est mignon ! D'accord, je ne dirai rien !

Les garçons décident de cacher Bonbon dans un coin des toilettes.

À la récré, ils retournent à la cachette : le chaton n'a pas bougé.

– Il doit avoir faim. Donne-lui un bout de ta tartine, dit Nicolas à Alceste.

Le garçon obéit à contrecœur.

– C'est bien joli tout ça, mais je ne vais pas partager mon goûter à chaque fois !

– C'est vrai, dit Rufus, comment on va faire pour le nourrir ?

– De toute façon, si on le laisse là, le Bouillon va finir par le trouver ! remarque Geoffroy.

– Il faudrait trouver quelqu'un de gentil pour l'adopter, réfléchit Clotaire.

– LA MAÎTRESSE ! s'exclame Nicolas.

Après la récré, quand les garçons apportent le chaton à la maîtresse, celle-ci se met à éternuer.

– ATCHOUM ! Un chat ! Au secours ! Je suis allergique !

Effrayé par les cris de la maîtresse, Bonbon bondit et file hors de la classe. Les enfants à ses trousses, il court... il court... jusqu'au bureau du directeur !

Surpris, le directeur tente de chasser le chat. Bonbon fait voler les papiers, renverse une lampe et finit par s'échapper par la fenêtre ouverte.

Le Bouillon surgit alors, tenant le chaton par la peau du cou.

– JE L'AI, monsieur le directeur !

Ce dernier se tourne alors vers les enfants, les sourcils froncés :

– À qui appartient ce chat ?

– Euh... À nous tous, monsieur le directeur, répond Nicolas.

Celui-ci lève les yeux au ciel.

– En tout cas, il ne peut pas rester à l'école. Monsieur Dubon, appelez tout de suite la fourrière !

Un peu plus tard, les enfants sortent de l'école, le cœur lourd.

– Mon père, il m'a dit qu'à la fourrière les animaux restent tout seuls enfermés dans des cages, soupire Rufus.

Mais, en passant devant l'épicerie, surprise : les garçons croisent le Bouillon, le chaton dans les bras et une boîte de pâté à la main.

– Oh, oui! C'est du bon miam-miam, ça! gazouille le surveillant d'une voix gaga.

Soudain, il relève la tête et aperçoit les enfants.

– Hum... Eh bien, oui, j'ai décidé de le garder, déclare-t-il en retrouvant sa voix bourrue. Comme ça, euh... il recevra une bonne éducation !

Les garçons sont ravis de voir que leur chaton a enfin trouvé un maître.

– Vous voyez, conclut Nicolas, le Bouillon, il est comme nous, au fond : il ne peut pas résister à un Bonbon !

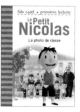

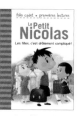
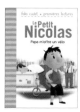

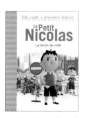

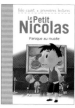